VOCABULAIRE ILLUSTRÉ

PLANS DE CAMÉRA

« Net, clair et précis, *Plans de caméra* constitue un document essentiel pour les professionnels de la télévision. Ce vocabulaire est un outil de base fondamental pour les institutions où l'on enseigne le cinéma, la vidéo et l'art dramatique. »

Jean-Yves Laforce, réalisateur
Émissions dramatiques, SRC

« Les artisans qui se rassemblent autour d'une production ne travaillent qu'en fonction d'une seule et même image. Ce livre nous permet, enfin, d'appeler cette image par un seul et même nom. »

Bernard Forget, réalisateur-coordonnateur
Téléjournal, SRC

« *Plans de caméra* : un document audio-visuel et un livre extrêmement bien faits. Les explications sont courtes et précises. Les termes correspondent au travail quotidien du réalisateur et du caméraman. C'est l'outil par excellence de référence et de formation des professionnels de la caméra. »

L'Association des caméramen de la SRC

« Enfin, une véritable référence qui nous permettra une meilleure communication en studio ainsi qu'une plus grande efficacité. Un langage clair et concis qui nous permettra d'être sur la même longueur d'onde. »

Yves Mathieu, réalisateur
Émissions dramatiques, SRC

ISBN 2-89035-199-8

VOCABULAIRE ILLUSTRÉ

PLANS DE CAMÉRA

Données de catalogage avant publication (Canada)
Plans de caméra : vocabulaire illustré

(Collection Communication)

ISBN 2-89035-199-8

1. Télévision – Production et réalisation – Dictionnaires.
2. Caméras de télévision – Dictionnaires. I. Collection : Collection Communication (Montréal, Québec).

PN1992.18.P42 1993 778.59'03 C93-097359-3

Ce projet a été préparé par le Service national de la formation et du développement de la Société Radio-Canada en collaboration avec la Direction de l'exploitation technique et le Centre d'étude et de formation technique de la Société Radio-Canada.

Collaboration à la préparation du livre : Sylvain Quirion

Conception graphique et réalisation
infographique des pages intérieures : Jocelyne Chartré

Conception et réalisation
graphique de la page couverture : Valérie Fortin

Dépôt légal : Bibliothèque nationale du Québec,
4e trimestre 1993

Imprimé au Canada

Notre catalogue vous sera expédié sur demande.
Les Éditions Saint-Martin
4316, boul. Saint-Laurent, bureau 300
Montréal (Québec) H2W 1Z3
(514) 845-1695

AVANT-PROPOS

Le présent document ainsi que la version vidéo qui l'accompagne font partie des instruments de développement professionnels que la Société Radio-Canada met à la disposition de ses artisans pour faciliter leur travail et assurer la plus grande qualité possible en production télévisuelle.

Nous devons à monsieur Gabriel Loranger, alors chef des studios et émissions extérieures, l'initiative de revoir les pratiques de communication entre le réalisateur et le caméraman en vue de proposer un vocabulaire normalisé qui permettrait d'harmoniser le langage des plans de caméra.

Monsieur Donald Berrigan, conseiller à la formation au S.N.F.D., élabora à titre de maître d'œuvre, une vaste opération de consultation à tous les niveaux ainsi qu'une recherche sur les vocabulaires utilisés dans d'autres milieux et d'autres organisations. Il a su mener à terme l'ensemble de la démarche, en dépit de nombreuses difficultés de tout ordre, et présenter une version finale du vocabulaire des plans de caméra. Nous le remercions de sa détermination et de sa persévérance.

Parmi les collaborateurs privilégiés de cette démarche, notons la participation de monsieur Gaétan Gauthier, instructeur technique à la Télévision française. Son expertise quant à la validation des contenus et des diverses étapes de préparation des instruments de formation a été d'une grande utilité pour la mise au point du vocabulaire des plans de caméra. Nous lui offrons nos meilleurs remerciements.

Michel Samson,
Chef, Service national de la formation
et du développement (Bureau de Montréal)

Jacques Aubertin,
Chef, Développement technologique et professionnel,
Télévision française

PRÉFACE

Le document qui vous est présenté provient d'une préoccupation commune exprimée par la direction de l'Exploitation télévision, la direction des Programmes de la télévision générale et le Service national de la formation et du développement.

Il a pour but d'une part de fournir aux réalisateurs, aux caméramans et aux équipes de production, des références communes quant à la terminologie des plans de caméra et, d'autre part, d'éliminer les sources de confusion possibles qui découlent de la perception différente d'une même commande.

Un décor original a été spécialement conçu et aménagé pour mettre en valeur la terminologie proposée.

Dans le document, certaines photos comportent des titres et d'autres pas, compte tenu qu'elles ont été tirées du document vidéo.

Nous souhaitons que le présent vocabulaire puisse mener à une meilleure communication entre le réalisateur et le caméraman. C'est en effet grâce à une clarté et une précision accrues dans l'énoncé des ordres que nous parviendrons à une efficacité et une rapidité d'exécution optimale des plans et mouvements de caméra.

Donald Berrigan,
Conseiller, Formation en télévision

Gaétan Gauthier,
Instructeur technique télévision

TABLE DES MATIÈRES

PLAN

Un plan comporte bon nombre d'éléments tels que :

La DIMENSION en référence au décor et aux personnages ;

La POSITION en référence aux angles de caméra, tant sur l'axe vertical qu'horizontal ;

Le MOUVEMENT en référence aux particularités optiques et mécaniques de la prise de vue.

Précisons que le plan peut comporter un cadrage fixe englobant les références de **DIMENSION** et de **POSITION.** Par ailleurs, une séquence de cadrages comporte les mêmes références que le cadrage fixe en plus du MOUVEMENT.

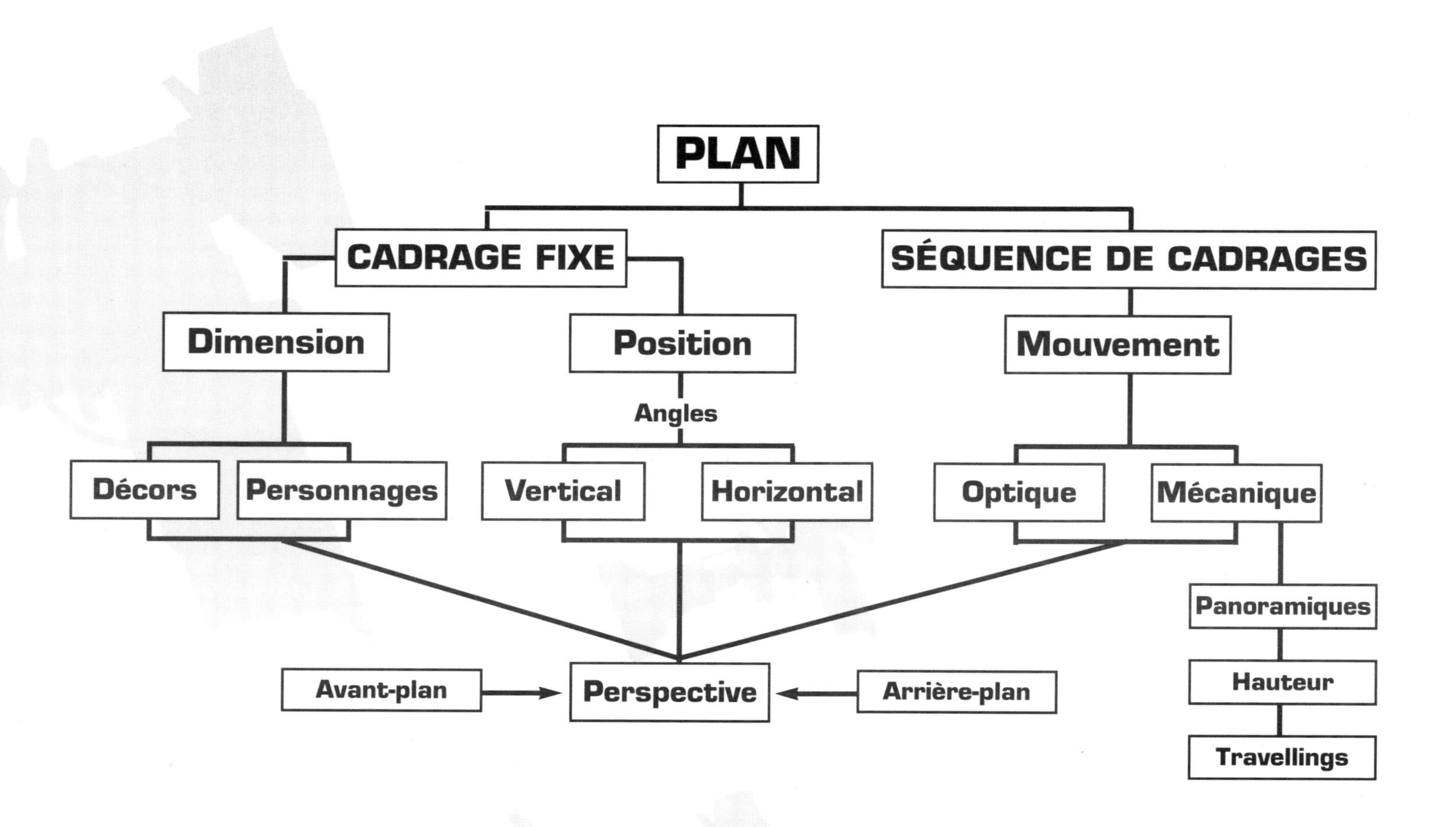
PLAN
CADRAGE FIXE
SÉQUENCE DE CADRAGES
Dimension
Position
Mouvement
Angles
Décors
Personnages
Vertical
Horizontal
Optique
Mécanique
Panoramiques
Hauteur
Travellings
Avant-plan
Perspective
Arrière-plan

DIMENSIONS

DES

PLANS SCÉNIQUES

DIMENSIONS DES PLANS SCÉNIQUES

La dimension des plans scéniques fait appel à la notion de décor ou de lieu.

Tiré de l'émission Cormoran.

TERME : PLAN TRÈS GRAND ENSEMBLE

Synonyme : Très grand plan général
Anglais : Extreme long shot
Déf. : Le plan qu'on appelle TRÈS GRAND ENSEMBLE est l'image qui établit le lieu, l'environnement et l'atmosphère d'une ou de plusieurs actions.

Tiré de l'émission Cormoran.

TERME : PLAN GRAND ENSEMBLE

Synonyme : Grand plan général
Anglais : Very long shot / wide shot
Déf. : Le plan qu'on appelle GRAND ENSEMBLE est l'image qui donne l'importance au décor plutôt qu'à la personne.

Tiré de l'émission Cormoran.

TERME : PLAN D'ENSEMBLE

Synonyme : Plan général
Anglais : Full long shot
Déf. : Le plan qu'on appelle PLAN D'ENSEMBLE est l'image où l'importance du décor, de la personne ou d'un élément de décor (scénique ou accessoire) s'équivalent plus ou moins.

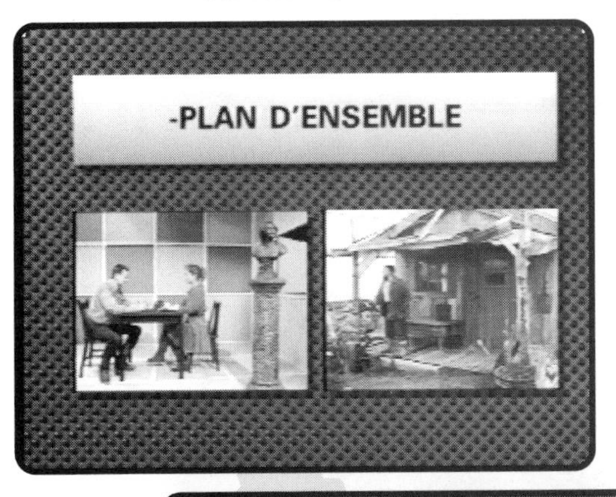

Tiré de l'émission Cormoran.

DIMENSIONS

DES

PLANS ANATOMIQUES

DIMENSION DES PLANS ANATOMIQUES

La dimension des plans anatomiques prend comme point de référence les principaux points de démarcation de la physionomie humaine.

Terme : PLAN EN PIED

Synonyme : Pleine grandeur

Anglais : Long shot

Déf. : Le PLAN EN PIED se définit comme l'image qui montre la personne des pieds à la tête.

TERME : PLAN GENOUX

Anglais : Knee length shot / Medium long shot

Déf. : Le PLAN GENOUX se définit comme l'image qui cadre la personne aux genoux.

PLAN GENOUX (suite)

N.B. : Dans le cas où il y a mouvement d'un personnage, les cadrages desserré ou serré peuvent être considérés. Voici deux exemples.

Exemple 1

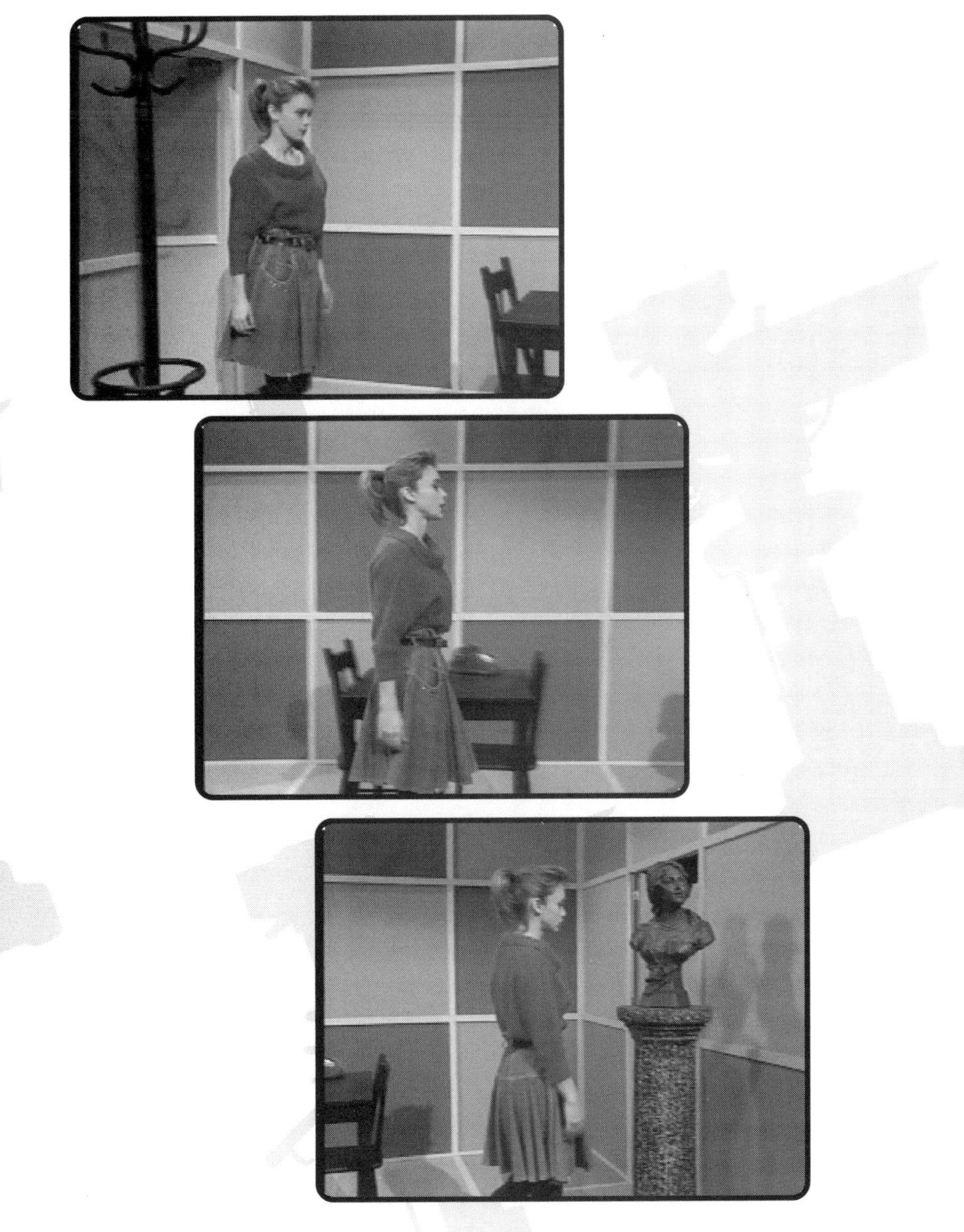

Exemple 2

TERME : PLAN MI-CUISSES

Synonyme : Plan américain

Anglais : Thigh shot

Déf. : Le PLAN MI-CUISSES se définit comme l'image cadrant une personne à mi-cuisses et pouvant inclure les bras tombant le long du corps, de l'épaule à l'extrémité des doigts.

TERME : PLAN CEINTURE

Synonymes : Plan taille / Plan moyen

Anglais : Medium shot

Déf. : Le PLAN CEINTURE se définit comme l'image cadrant sous les coudes une personne debout ou assise. Voici deux exemples.

Exemple 1

Exemple 2

TERME : PLAN BUSTE

Synonymes : Plan rapproché / Plan moyen

Anglais : Medium close-up

Déf. : Le PLAN BUSTE se définit comme l'image cadrant une personne à mi-bras.

Terme : PLAN ÉPAULES

Synonyme : Gros plan

Anglais : Close-up / Shoulder shot

Déf. : Le PLAN ÉPAULES se définit comme l'image cadrant une personne de la tête à l'arrondi des épaules.

TERME : PLAN TÊTE

Synonyme : Gros plan serré

Anglais : Big close-up / Tight close-up

Déf. : Le PLAN TÊTE se définit comme l'image cadrant la tête d'une personne jusqu'à mi-cou.

Terme : PLAN VISAGE

Synonyme : Très gros plan

Anglais : Extreme close-up

Déf. : Le PLAN VISAGE se définit comme l'image cadrant la tête d'une personne de mi-menton à mi-front.

DIMENSIONS

DES

PLANS D'OBJETS

PLANS D'OBJETS

Pour les objets, on se sert généralement des expressions suivantes.

TERME : PLAN

Anglais : Close-up

Déf. : Le plan se définit comme l'image cadrant l'objet apparaissant dans son environnement immédiat.

TERME : GROS PLAN

Anglais : Tight close-up

Déf. : Le gros plan se définit comme l'image cadrant l'objet isolé de son environnement.

À NOTER – DIMENSIONS DES PLANS

Pour chaque DIMENSION de plan identifié, que ce soit aux niveaux scénique, anatomique ou d'objets, les qualificatifs SERRÉ ou DESSERRÉ peuvent être utilisés pour préciser davantage l'appellation d'un plan selon la terminologie proposée. Voici un exemple de variantes d'un plan anatomique.

LES

ANGLES

LES ANGLES

Les angles se définissent par rapport à deux (2) axes, l'un vertical, l'autre horizontal.

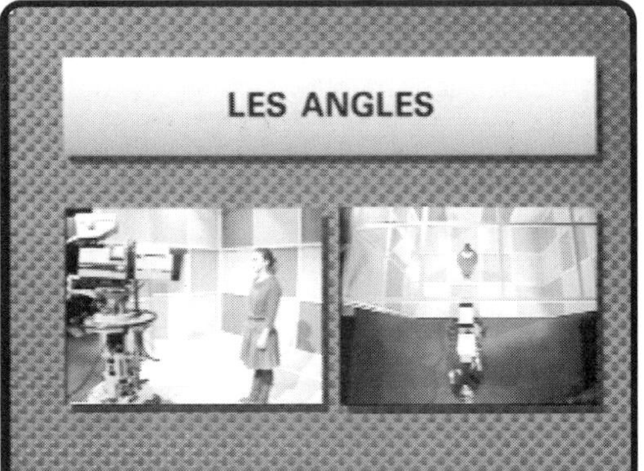

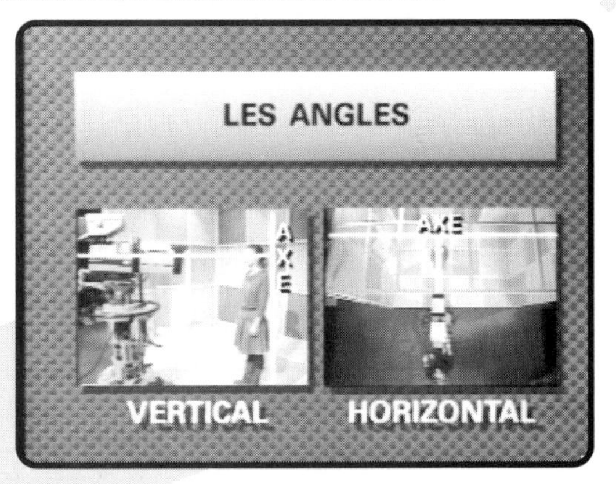

Par convention, la position normale de la caméra est celle où l'objectif de la caméra est perpendiculaire au sujet dans les deux (2) axes. Dans le cas d'une personne, la référence est l'angle droit entre la lentille de la caméra et ses yeux.

LES

ANGLES VERTICAUX

TERME : ANGLE NORMAL - NIVEAU DES YEUX

Synonyme : Angle de niveau

Anglais : Eye level shot

Déf. : L'ANGLE NORMAL ou ANGLE DE NIVEAU se définit comme l'image obtenue lorsque la position de l'objectif est à angle droit par rapport au personnage au niveau des yeux.

Terme : ANGLE NORMAL - BAS NIVEAU

Anglais : Low level shot

Déf. : L'ANGLE NORMAL – BAS NIVEAU se définit comme l'image obtenue lorsque la position de l'objectif est à angle droit par rapport au personnage et placé à la position verticale minimale.

TERME : PLONGÉE VERTICALE

Anglais : Top shot

Déf. : La PLONGÉE VERTICALE se définit comme étant l'image obtenue lorsque la position de l'objectif est perpendiculaire au personnage mais au-dessus du sujet.

Pour l'exemple suivant, la plongée verticale est illustrée à l'aide du personnage et du caméraman.

TERME : PLONGÉE

Anglais : High angle shot

Déf. : La PLONGÉE se définit comme étant l'image obtenue lorsque la position de l'objectif est au-dessus de l'angle normal de visée et pointé vers le bas.

Terme : CONTRE-PLONGÉE

Anglais : Low angle shot

Déf. : La CONTRE-PLONGÉE se définit comme étant l'image obtenue lorsque la position de l'objectif est au-dessous de l'angle normal de visée et pointé vers le haut.

TERME : CONTRE-PLONGÉE VERTICALE

Anglais : Bottom shot

Déf. : La CONTRE-PLONGÉE VERTICALE se définit comme étant l'image obtenue lorsque la position de l'objectif est perpendiculaire mais en-dessous du sujet.

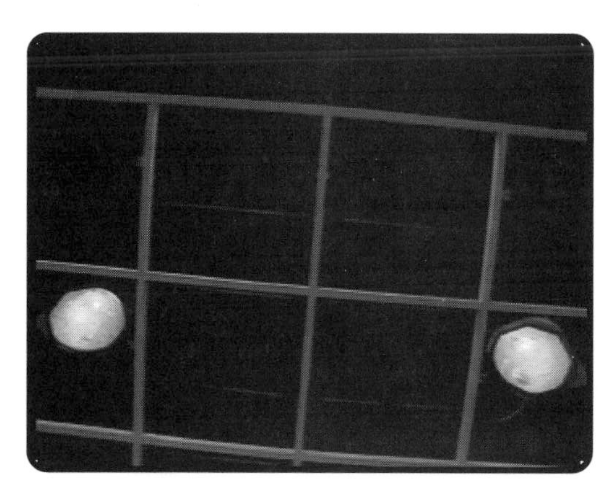

Plafond ajouré du décor.

LES

ANGLES HORIZONTAUX

LES ANGLES HORIZONTAUX
– PAR RAPPORT À UN PERSONNAGE

En référence aux angles horizontaux qui s'appliquent à un personnage, nous avons considéré trois points de référence couramment utilisés, soit l'ANGLE NORMAL, l'ANGLE DE 45 DEGRÉS et l'ANGLE DE 90 DEGRÉS.

TERME : ANGLE NORMAL

Déf. : L'ANGLE NORMAL est celui où la caméra est placée directement devant le personnage et sa lentille est à angle droit avec ses yeux.

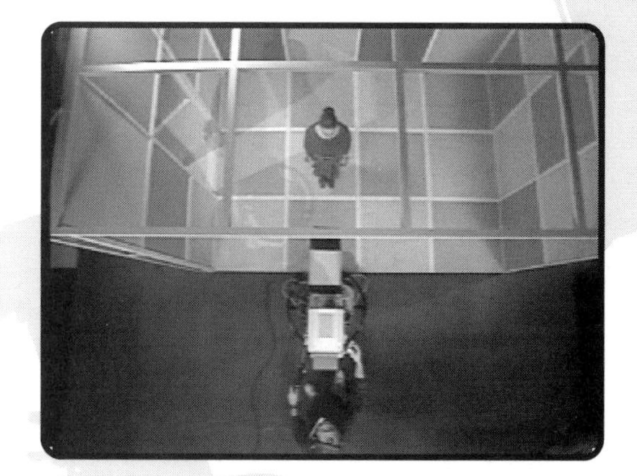

TERME : ANGLE DE 45 DEGRÉS

Déf. : L'ANGLE DE 45 DEGRÉS est celui où le personnage est vu de demi-profil.

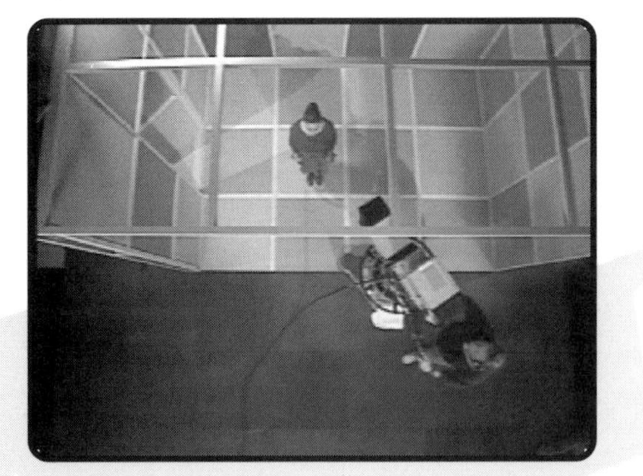

TERME : ANGLE DE 90 DEGRÉS

Déf. : L'ANGLE DE 90 DEGRÉS est celui où le personnage est vu de profil.

LES ANGLES HORIZONTAUX
– PAR RAPPORT À UN DÉCOR

En référence aux angles horizontaux qui s'appliquent à un décor, nous avons considéré trois points de référence couramment utilisés, soit l'ANGLE NORMAL, l'ANGLE DE 45 DEGRÉS et l'ANGLE DE 90 DEGRÉS.

TERME : ANGLE NORMAL

Déf. : L'ANGLE NORMAL est celui où la lentille de la caméra est à angle droit par rapport au décor.

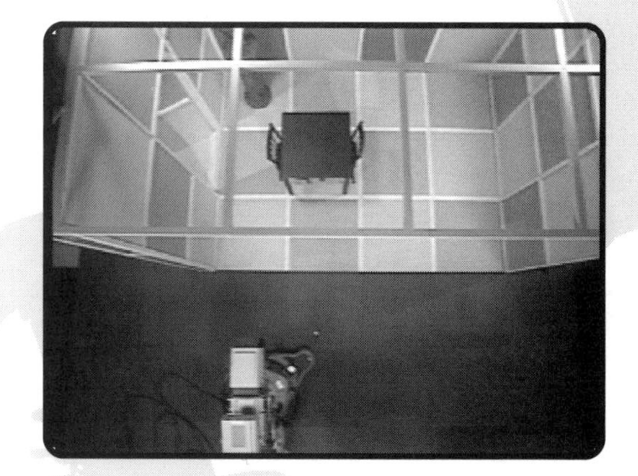

TERME : ANGLE DE 45 DEGRÉS

Déf. : L'ANGLE DE 45 DEGRÉS est celui où la lentille de la caméra est en oblique par rapport à l'angle normal.

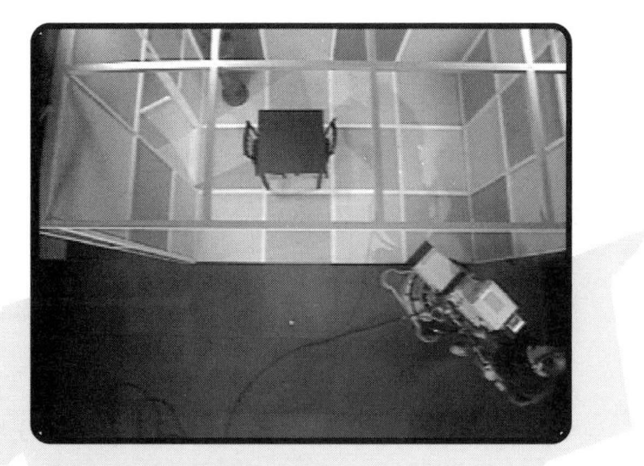

Terme : ANGLE DE 90 DEGRÉS

Déf. : L'ANGLE DE 90 DEGRÉS est celui où la lentille de la caméra est parallèle au décor par rapport à l'angle normal.

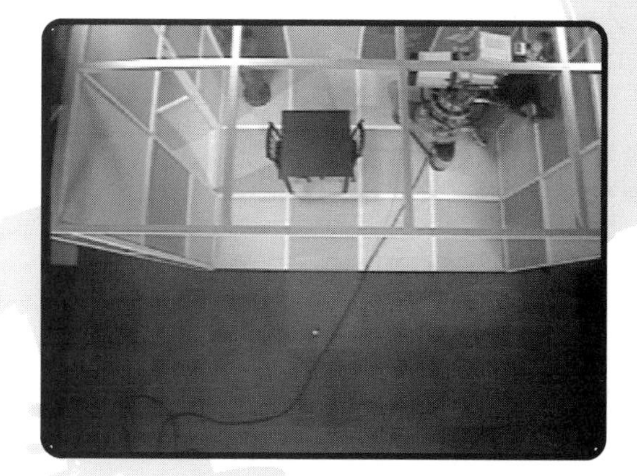

LES

MOUVEMENTS

LES MOUVEMENTS

Les mouvements dans un plan sont de deux (2) types : MOUVEMENTS D'OBJECTIF ou de ZOOM et MOUVEMENTS DE LA CAMÉRA.

Nous verrons plus loin sous le titre NE PAS CONFONDRE, l'impact entre un mouvement d'objectif, en l'occurrence le ZOOM AVANT avec un mouvement de caméra tel que le TRAVELLING AVANT.

LES MOUVEMENTS D'OBJECTIF : LE ZOOM

Le ZOOM AVANT et le ZOOM ARRIÈRE sont des mouvements optiques de l'objectif à focale variable.

TERME : ZOOM AVANT

Anglais : Zoom in

Déf. : Le ZOOM AVANT se définit comme le mouvement de l'objectif avec variations de focale de façon à rapprocher progressivement le téléspectateur du sujet ou du centre d'intérêt, d'une manière lente ou rapide sans déplacement de la caméra.

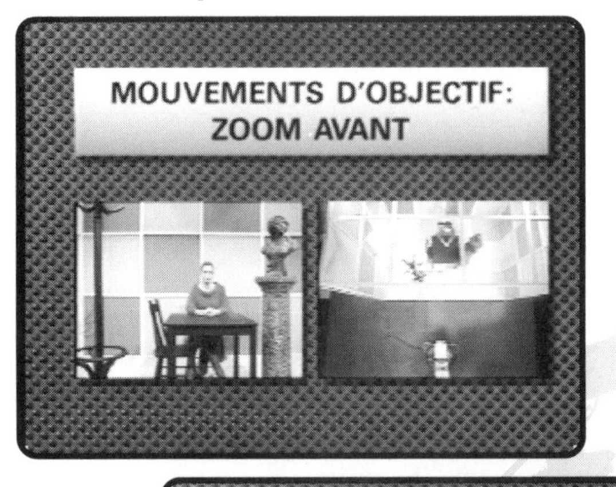

Terme : ZOOM ARRIÈRE

Anglais : Zoom out

Déf. : Le ZOOM OUT se définit comme le mouvement de l'objectif avec variations de focale de façon à éloigner progressivement le téléspectateur du sujet ou du centre d'intérêt, d'une manière lente ou rapide sans déplacement de la caméra.

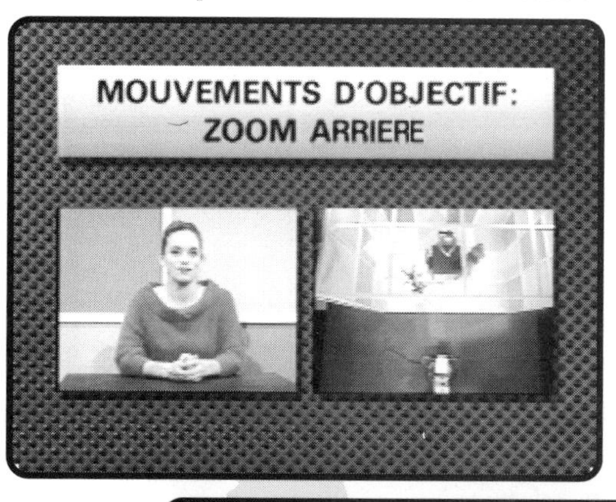

LES MOUVEMENTS DE CAMÉRA

À PARTIR DE LA CAMÉRA ET DE SA TÊTE PANORAMIQUE

LES PANORAMIQUES

TERME : PAN À DROITE

Anglais : Pan right

et

TERME : PAN À GAUCHE

Anglais : Pan left

Déf. : Parmi les mouvements mécaniques de la caméra, le mouvement de PAN À DROITE ou de PAN À GAUCHE se définit comme le mouvement horizontal de la caméra sur sa tête panoramique.

Dans ce cas-ci, les photos illustrent le pan à droite.

TERME : PAN FILÉ À DROITE

Anglais : Swish pan right

et

TERME : PAN FILÉ À GAUCHE

Anglais : Swish pan left

Déf. : Le PAN FILÉ à droite ou à gauche se définit comme un mouvement très rapide de la caméra pivotant sur sa tête panoramique d'un point à l'autre, dans l'axe horizontal.

Dans ce cas-ci, les photos illustrent le pan filé à droite.

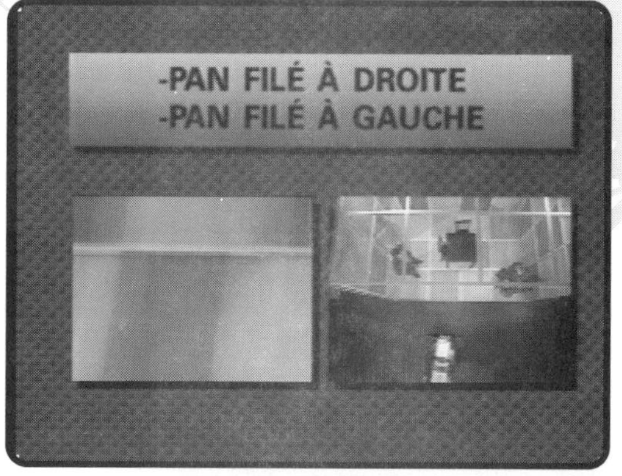

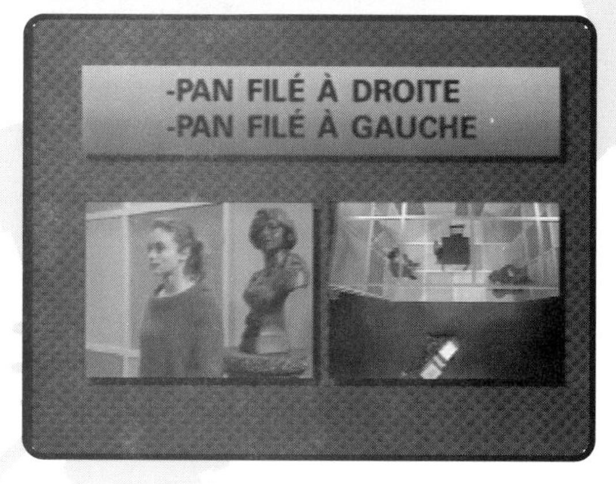

TERME : PAN D'ACCOMPAGNEMENT ou de POURSUITE

Anglais : Following pan

Déf. : Le PAN D'ACCOMPAGNEMENT ou de POURSUITE à droite ou à gauche se définit comme le mouvement de la caméra tournant horizontalement sur son axe en suivant une personne ou un objet en mouvement.

Dans ce cas-ci, les photos illustrent le pan d'accompagnement à droite.

TERME : PAN EN HAUT

Anglais : Tilt-up

et

TERME : PAN EN BAS

Anglais : Tilt-down

Déf. : Le PAN EN HAUT et le PAN EN BAS se définissent comme étant des mouvements verticaux de la caméra sur sa tête panoramique.

Dans les photos qui suivent, on illustre le PAN EN HAUT.

Les photos suivantes illustrent le PAN EN BAS.

LES MOUVEMENTS DE CAMÉRA

À PARTIR DU CHARIOT OU DU PIÉDESTAL

LES TRAVELLINGS

TERME : TRAVELLING AVANT

Anglais : Dolly in

et

TERME : TRAVELLING ARRIÈRE

Anglais : Dolly out

Déf. : Les mouvements de caméra, tels que le TRAVELLING AVANT et le TRAVELLING ARRIÈRE, se définissent comme le déplacement de l'unité de prise de vue vers l'avant (en s'approchant du sujet) ou vers l'arrière (en s'éloignant du sujet) de façon mécanique à l'aide du chariot, du piédestal ou de façon manuelle en utilisant la caméra portative.

Dans ce cas-ci, les photos illustrent le travelling avant.

NE PAS CONFONDRE

On ne doit pas confondre les mouvements d'objectifs comme le ZOOM AVANT et le ZOOM ARRIÈRE avec les mouvements de caméra, tels que le TRAVELLING AVANT et le TRAVELLING ARRIÈRE, lesquels nécessitent un déplacement de l'unité de prise de vue.

Remarquez l'impact entre le ZOOM AVANT et le TRAVELLING AVANT sur la page suivante.

Les mouvements d'objectif ne modifient pas la perspective contrairement aux mouvements de caméra. Dans un ZOOM AVANT, les avant-plans et les arrière-plans grossissent dans un même rapport et la profondeur (perspective) ne varie pas. Dans un mouvement de caméra, comme le TRAVELLING AVANT, les avant-plans grossissent plus rapidement que les arrière-plans et la profondeur (perspective) augmente.

ZOOM AVANT et TRAVELLING AVANT

Dans l'exécution des mouvements vers l'avant, c'est-à-dire de A à C, on remarque certaines différences :

- une tendance à la compresson des éléments de l'image en zoom par rapport au travelling ;
- une diminution de la dimension de l'arrière-plan et une perte de netteté.

A

B

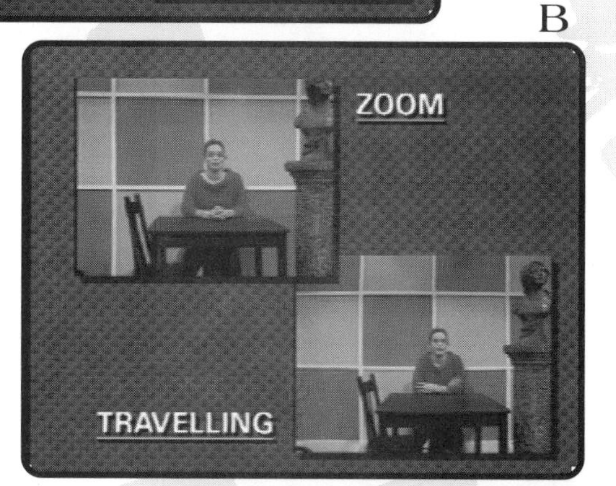

C

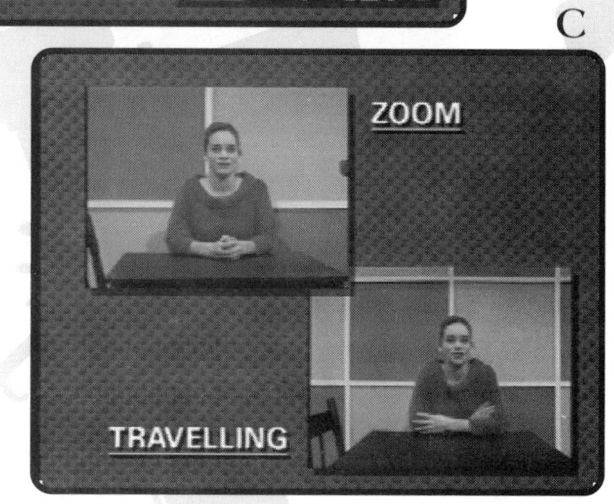

Terme : TRAVELLING À DROITE

Anglais : Truck right

et

Terme : TRAVELLING À GAUCHE

Anglais : Truck left

Déf. : Le TRAVELLING À DROITE et le TRAVELLING À GAUCHE désignent le déplacement latéral de l'unité de prise de vue vers la droite ou vers la gauche de façon mécanique, à l'aide du chariot ou du piédestal, ou de façon manuelle, lorsqu'il s'agit d'une caméra portative.

Les photos ci-dessous illustrent le travelling à droite.

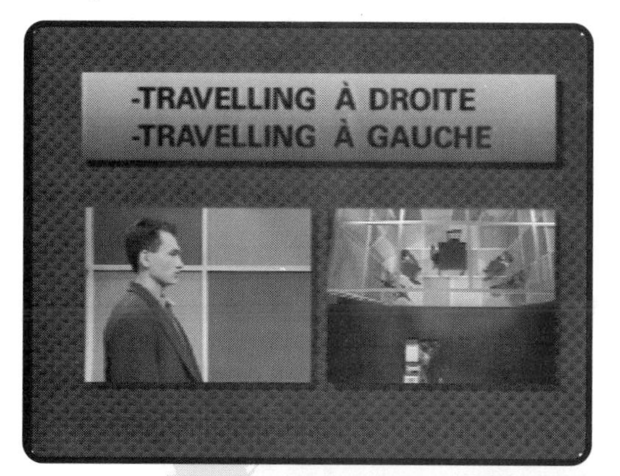

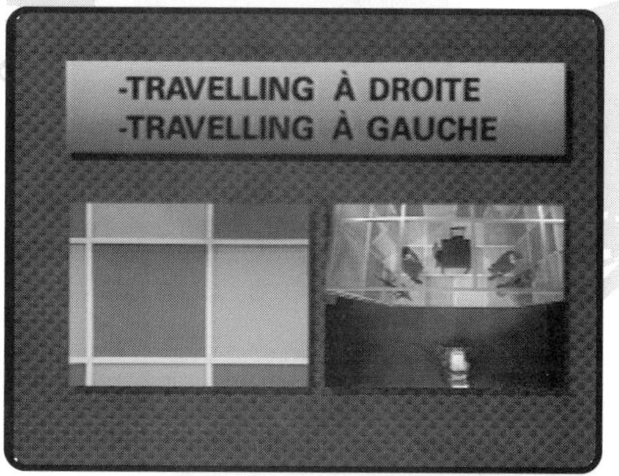

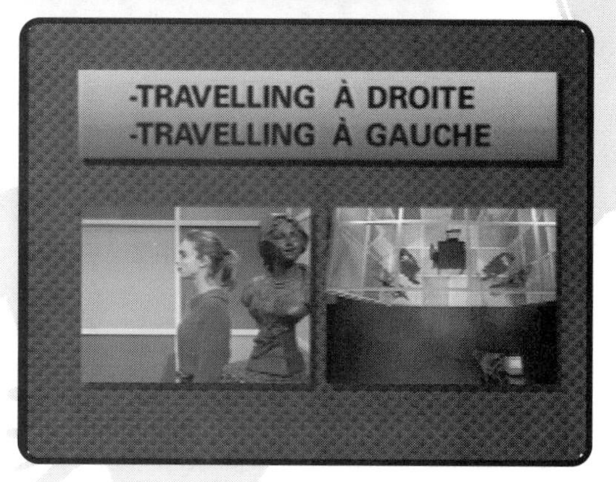

Le mouvement contraire correspond au travelling à gauche.

TERME : TRAVELLING CIRCULAIRE

Anglais : Circular travelling

Déf. : Parmi les mouvements de caméra, le TRAVELLING CIRCULAIRE se définit comme étant le déplacement du chariot vers la droite ou vers la gauche, selon un arc de cercle donné.

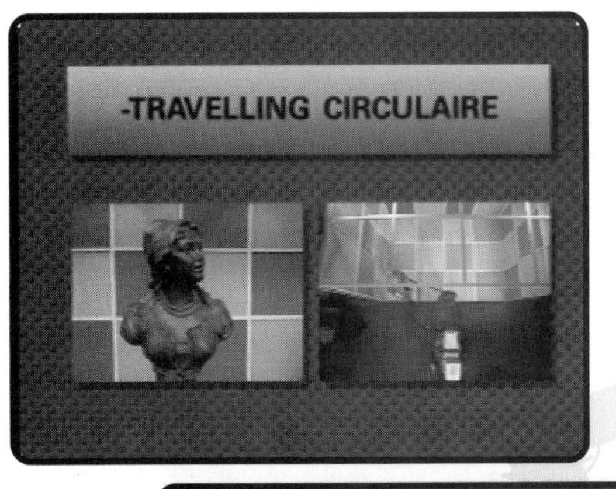

Les photos ci-dessus illustrent un travelling circulaire vers la gauche.

TERME : TRAVELLING D'ACCOMPAGNEMENT

Anglais : Following dolly in / out
Following truck right / left

Déf. : Par comparaison au PAN D'ACCOMPAGNEMENT, le TRAVELLING D'ACCOMPAGNEMENT est plus dynamique en ce sens que la caméra accompagne, suit ou précède la personne ou l'objet dans des directions ou des angles multiples.

Anglais : Il s'agit du FOLLOWING DOLLY IN ou OUT et du FOLLOWING TRUCK RIGHT ou LEFT ou d'une combinaison de ces deux mouvements.

Les illustrations suivantes décrivent un travelling d'accompagnement à droite.

NE PAS CONFONDRE

Il ne faut pas confondre le TRAVELLING D'ACCOMPAGNEMENT AVANT et ARRIÈRE avec le ZOOM D'ACCOMPAGNEMENT AVANT et ARRIÈRE. Remarquons la différence dans l'exécution de ces types de mouvements : le ZOOM étant un mouvement d'objectif de la caméra et le TRAVELLING étant un déplacement de la caméra.

Dans les photos ci-dessous, la caméra accompagne le sujet dans un mouvement de travelling avant alors que le sujet s'éloigne de la caméra dans un mouvement de zoom avant.

ZOOM D'ACCOMPAGNEMENT et TRAVELLING D'ACCOMPAGNEMENT

Dans celles qui suivent, la caméra accompagne le sujet avec un mouvement de travelling arrière et le sujet s'approche de la caméra dans un mouvement de zoom arrière.

LES MOUVEMENTS DE CAMÉRA

À PARTIR DE LA COLONNE

TERME : ÉLÉVATION

Anglais : Pedestal up (pour la colonne)
Crane up (pour la grue)

et

TERME : ABAISSEMENT

Anglais : Pedestal down (pour la colonne)
Crane down (pour la grue)

Déf. : Parmi les autres mouvements de caméra, l'ÉLÉVATION et l'ABAISSEMENT de la caméra s'effectuent par des mouvements de la colonne de bas en haut et de haut en bas. De plus, ces mêmes mouvements peuvent être réalisés à l'aide d'une grue de caméra.

N.B. : Précisons que d'autres appellations, telles que le PANORAMIQUE D'ACCOMPAGNEMENT VERTICAL et la GRUE D'ACCOMPAGNEMENT VERTICALE, peuvent être aussi utilisées pour décrire ces mouvements de caméra de bas en haut et de haut en bas.

Dans les photos ci-dessous, on illustre le mouvement d'élévation.

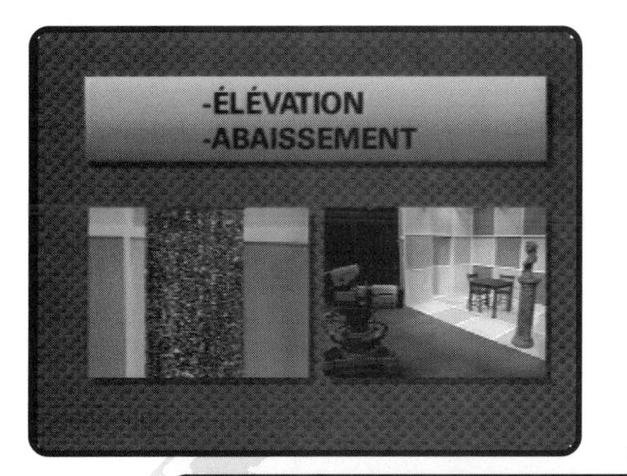

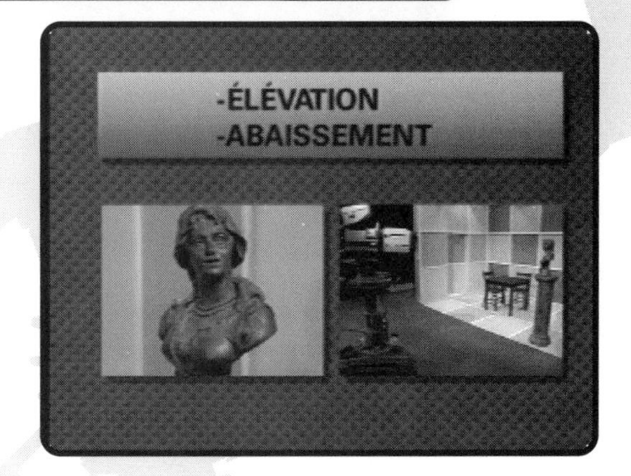

Le mouvement contraire correspond à l'abaissement.

CONCLUSION

Ceci complète le *Vocabulaire illustré des plans de caméra*. Nous espérons que ce document dissipera les ambiguïtés existantes quant à la terminologie utilisée en production et favorisera la précision dans les communications, celle-ci étant indispensable au bon déroulement de la réalisation des émissions.

GÉNÉRIQUE DU DOCUMENT VIDÉO

NARRATION
Normand Séguin

FIGURANTS
Anne-Marie Leduc, Michel Thériault

DÉCOR
Guy Rajotte, Francine Hurtubise

ENSEMBLIER
Roger Dufour

AIGUILLEUR
Jacques Bernard

CAMÉRAMANS
Claude Bédard, Guy Castonguay

CONTROLEUR D'IMAGE
Jean Goulet

MONTAGE MAGNÉTOSCOPIQUE
Jean-Yves Desbiens, Laurent Laroque, Philippe Morin

RÉGIE D'ÉCLAIRAGE
Charles Lahaie

ÉCLAIRAGE
Jean-Marie Vincelette

ASSISTANTS TECHNICIENS
Carole Martin, André Vézina

AFFICHAGE ÉLECTRONIQUE
Lise Bureau-Charette,
Claude D'Astous, Sylvain Lavoie

MAGNÉTOSCOPIE
Guy Filteau

MACHINISTE
Yves Desrochers

MAQUILLAGE
Sylvie Cayer

COSTUMES
Danielle Ross

ADMINISTRATRICE
Gaétane Thériault

ASSISTANTE À LA PRODUCTION
Louise Paquette

ASSISTANTE À LA RÉALISATION
Linda Guay

RECHERCHE ET DÉVELOPPEMENT
Donald Berrigan, Gaétan Gauthier

GROUPE DE TRAVAIL SUR LA TERMINOLOGIE DES PLANS DE CAMÉRA
Jacques Aubertin, Pierre-Jean Cuillerrier, Pierre Desjardins, Micheline Gamache, Gaétan Gauthier, Raymond Grothé, Louis Lalande, Claude Maher, André Quévillon, Gilles Senécal, Nicole Tremblay

CORRECTION DE TEXTE
Louise Brunette, Pauline Daigneault, Service de linguistique et traduction, Pierre Laroche, traducteur technique, Direction de l'exploitation technique, Johanne Gaudreault, SRC Formation et Développement

COLLABORATION SPÉCIALE
Lise Chayer, réalisatrice, émissions dramatiques

RESPONSABLE DE PROJET
Donald Berrigan, conseiller, formation en télévision

PRODUCTEUR
Michel Samson, chef, SRC Formation et Développement (Bureau de Montréal), en collaboration avec le Service du développement technologique et professionnel de la Direction de l'exploitation technique

DIRECTEUR TECHNIQUE
Ninon Truchon

RÉALISATEUR
Bernard Forget

PRODUCTION
Société Radio-Canada, avril 1992

À paraître dans la même collection
Vocabulaire illustré de la composition de l'image

Achevé d'imprimer
en novembre 1993 sur les presses
des Ateliers Graphiques Marc Veilleux Inc.
Cap-Saint-Ignace (Québec).